Y FELIN FA

(Chwarel y Penrhyn)

EI HANES A'I RHAMANT

gan

T. THEO ROBERTS

Cyflwyniad gan
EMLYN EVANS

GWASG GEE
DINBYCH

Ⓗ RHIANNON M. ROBERTS

ISBN 0 7074 0330 8

*I Owen a Laura
i gofio am Taid*

Argraffwyr a Chyhoeddwyr:
GWASG GEE, DINBYCH

Cyflwyniad

Ganed awdur y gwaith hwn, Thomas Theodore Roberts i roi iddo ei enw llawn, yn 1927 mewn ffermdy yn dwyn yr enw hudolus Llwyn Penddu Isaf ym mhlwyf Llanllechid ar gyrion pentref Bethesda, Arfon, yr ieuangaf o bum plentyn Griffith John ac Ann Mary Roberts. Ar derfyn ei addysg gynradd ac uwchradd, gadawodd Ysgol Sir Bethesda – fel y gelwid hi ar y pryd – yn un ar bymtheg oed, i'w brentisio yn y Felin Fawr, perthynol i Chwarel y Penrhyn, 'chwarel lechi fwyaf y byd', fel y dysgid ni blant yr ardal yn y cyfnod hwnnw.

Yn ddeunaw oed, â'r Ail Ryfel Byd yn dod i ben, ymunodd Theo â'r fyddin, a gweld dwy flynedd o wasanaeth yn yr Eidal cyn dychwelyd i'w gartref i ffermio am gyfnod. Ond os amaethyddiaeth oedd ei gefndir, peiriannydd ydoedd wrth reddf – ei hoff beiriant (pa syndod?) oedd y tractor – a daliodd amryw o swyddi ym maes peirianwaith ym Mangor, Caernarfon a Llangefni cyn mynd yn ôl i'r Felin Fawr lle yr oedd wedi cychwyn ei yrfa. Ymddeolodd oddi yno yn 65 oed yn 1992.

Priodasai yn 1954 â Rhiannon Margaret Thomas o ardal y Carneddi ym Methesda, gan ymsefydlu yn ffermdy Coed Isaf, Llanllechid. Ganed iddynt un ferch, Marian, ac i'w dau blentyn hi a'i phriod Zaki y cyflwynir y gwaith hwn.

I'r rhai hynny ohonom a gafodd y cyfle a'r hyfrydwch o adnabod Theo, gŵr hoffus a chyfeillgar anghyffredin ydoedd, yn byrlymu o hwyl a ffraethineb, â chanddo stôr diderfyn o straeon a hanesion am ei ardal a'i chymeriadau. Yr oedd yma gryn ddiwylliant hefyd, oblegid yr oedd yn ddarllenwr brwd, yn enwedig ym meysydd hanes ac archaeoleg. Ac fel y gweddai i ŵr a godwyd yn y wlad, fe ymddiddorai'n fawr mewn adar, a'i wybodaeth amdanynt yn eang. Ond ei brif ddiddordeb heb os oedd peiriannau o bob math, ac yn arbennig y tractor fel y cyfeiriwyd eisoes. Ddechrau'r nawdegau fe'i gwelwyd ar raglen deledu S4C yn trafod nodweddion y peiriant hwnnw a weddnewidiodd fyd amaeth yn gyfan gwbl hanner canrif a mwy yn ôl.

Rhyw dair blynedd y sydd er pan roes Theo anerchiad i Gymdeithas Hanes Dyffryn Ogwen ar y Felin Fawr, a chael ei annog yn daer gan ysgrifennydd egnïol y Gymdeithas, Mrs Rhiannon Rowlands, i geisio cyhoeddi'r deunydd gwerthfawr a hanesyddol yn llyfryn. Er iddo gytuno â'r awgrym, fe'i goddiweddwyd, ysywaeth, gan afiechyd cyn iddo gael cyfle i baratoi ac addasu sylwedd ei anerchiad ar gyfer y wasg, ac fe'i gwelsom yn dihoeni'n araf, yn fwyfwy analluog i fynd ymlaen â'r bwriad. Bu farw yn 71 oed ar Awst 3 eleni.

Braint i mi fu cael bod â rhan yn y gorchwyl o ddwyn ei waith i olau dydd, a hynny nid yn unig oherwydd f'adnabyddiaeth ohono ef a'i briod, ond hefyd am fod i'r Felin Fawr ran hynod bwysig yn hanes diwydiannol ac economaidd Bethesda a'r ardaloedd cyfagos dros gyfnod o bron i ddwy ganrif. Ceir yma yn ddi-ddadl ddogfen hanesyddol werthfawr, ac mae'n ddyletswydd arnom ei rhoi ar gof a chadw.

Pleser o'r mwyaf yw diolch yn wresog i'r ddwy Riannon – sef priod Theo ac ysgrifennydd y Gymdeithas Hanes leol – a Marian a'i theulu am bob cydweithrediad a hynawsedd wrth ddwyn y gwaith drwy'r wasg. A choffa gwych am yr awdur, gan ddatgan gofid dwys na chafodd fyw i weld ffrwyth ei lafur mewn cyfrol orffenedig.

EMLYN EVANS
Hydref 1999

Cynnwys

Rhagarweiniad

Wedi hir chwilio mewn llyfrau a'r Archifdy yng Nghaernarfon, methais â chael fawr o hanes y Felin Fawr, Coed y Parc ger Bethesda. Casgliad o weithdai oedd y Felin Fawr, prif ganolfan cynnal a chadw a pheirianyddol Chwarel y Penrhyn.

Fy mwriad yn y llyfryn hwn felly yw ceisio hel rhai ffeithiau ac atgofion cyn iddynt ddiflannu am byth fel yr aeth y gweithdai a'u peiriannau. Mae'r llyfr yma hefyd yn deyrnged o barch i le a roddodd gymaint o gelfyddyd i'w phrentisiaid, gan eu galluogi i gael gwaith yn unrhyw le a phob man yn falch o'u cael.

Datblygodd safle y felin gerrig wreiddiol yn gasgliad o wahanol weithdai a oedd yn cynnwys melin gerrig - sef melin i lifio llechi - gefail, ffowndri, gweithdy saer a gweithdy peirianneg. Yma y gwnaed pob peth a oedd angen at gynnal a chadw y chwarel, y lein bach a'r cei. 'Roedd y lle bron iawn yn hollol hunan-gynhaliol.

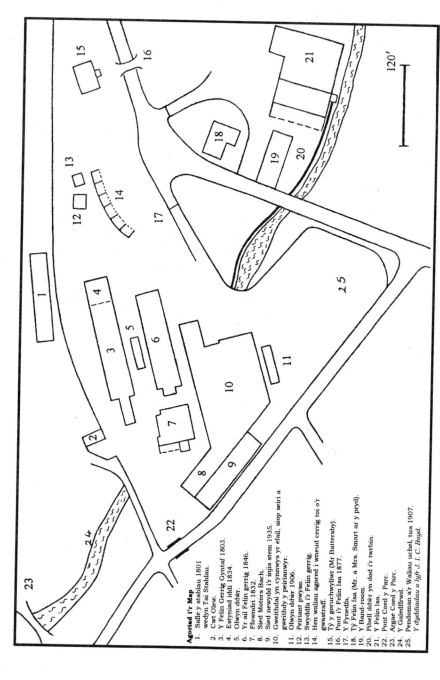

Agoriad i'r Map

1. Safle y stablau 1801 wedyn Tai Stablau.
2. Cwt Olew.
3. Y Felin Gerrig Gyntaf 1803.
4. Estyniad iddi 1834.
5. Olwyn ddŵr.
6. Yr ail Felin gerrig 1846.
7. Ffowndri 1832.
8. Sied Motors Bach.
9. Sied newydd i'r injis stem 1935.
10. Gweithdai yn cynmwys yr efail, siop seiri a gweithdy y peirianwyr.
11. Olwyn ddŵr 1906.
12. Peiriant pwyso.
13. Swyddfa i'r Felin gerrig.
14. Hen waliau agored i wneud cerrig toi o'r gwastraff.
15. Tŷ y goruchwyliwr (Mr Battersby).
16. Pont i'r Felin Isa 1877.
17. Y Pynedfa.
18. Tŷ Felin Isa (Mr. a Mrs. Smart ar y pryd).
19. Y Band-room.
20. Pibell ddŵr yn dod i'r twrbin.
21. Y Felin Isa.
22. Pont Coed y Parc.
23. Argae Coed y Parc.
24. Y Galedffrwd.
25. Pendoman a'r Waliau uchel, tua 1907.
Y dyddiadau o lyfr J. I. C. Boyd.

Cynllun o Safle y Felin Fawr

Y Cefndir

Bu'r diwydiant llechi yn elfen sylweddol iawn ym mywyd Dyffryn Ogwen am dair canrif neu ragor. Yn ôl tystiolaeth a ddyfynnir gan Hugh Derfel Hughes (1866) yn ei lyfr *Hynafiaethau Llandygai a Llanllechid*, codwyd llechi o ochr y Fronllwyd dros bedwar can mlynedd yn ôl. Yr adeg honno (tua 1570), tyddynwyr yr ardal oedd yn cloddio'r graig fel y byddai gofyn am lechi toi. Gyda threuliad amser, cynyddodd y fasnach lechi, ac erbyn canol y ddeunawfed ganrif dywedir bod tua phedwar ugain o fân gloddfeydd yno, a phob un o'r deiliaid yn talu ardreth i stad y Penrhyn.

Hyd yn oed mor gynnar â 1570 gyrrwyd llechi i Aber Ogwen a'u llwytho i longau; dyma'r ffordd yr aed â hwy am yn agos i ddwy ganrif. *"Wedi eu llwytho mewn cewyll ar gefnau merlod, mulod a cheffylau; trwy Bantdreiniog, heibio Coetmor a Thalysarn, i lawr Rhiw Goch a Maes y Groes i Aber Ogwen, hefyd yr oedd peth cario i lawr heibio Bryn Meurig, Tanysgrafell, Penygroes, Penau y Bronydd a heibio Penlan am Aber Cegin tua 1720"*, yn ôl Hugh Derfel Hughes.

Nid oedd y ffyrdd bryd hynny fawr gwell na llwybrau, *"yn lwch trwchus yn yr haf, yn siglennydd yn y gaeaf, yn byllau dyfnion mewn llawer man"*, yn ôl disgrifiad R. T. Jenkins, *Hanes Cymru yn y Ddeunawfed Ganrif*, (1928).

Curai'r cewyll yn aml yn erbyn y cloddiau a thorri amryw o'r llechi ar y daith. Wedi cyrraedd y traeth, cyfrifid y llechi gan un o weision y stad er mwyn amcangyfri'r ardreth.

Tua 1765, pan oedd y Cadfridog Hugh Warburton yn gyd-berchennog â Syr George Yonge ar y stad, newidwyd y drefn. O hynny ymlaen gosodwyd y mân chwarelau i'r gweithwyr am ardreth o bunt y flwyddyn. Goruchwyliwr y chwarel oedd William Williams, Llandygai* ac ar ei anogaeth ef, ehangwyd y safle a bu yn gyfrifol am gynhyrchiad, gwerthiant a chludiant y llechi o 1761 i 1802.

Ond yr oedd oes y chwareli bach ar y Fronllwyd yn prysur ddirwyn i ben. Yr oedd Richard Pennant wedi priodi Anne Susannah, unig blentyn y Cadfridog Hugh Warburton, a phan fu farw Warburton ym 1771, daeth hanner y stad i feddiant Richard Pennant. 'Roedd ei dad, John Pennant, eisoes wedi cymryd yr hanner arall ar brydles gan Syr George Yonge, ac ar farwolaeth ei dad ym 1781, daeth hen stad Penrhyn (oedd erbyn hyn yn cynnwys hen stad Cochwillan) i ddwylo dyn a chanddo'r ynni, y weledigaeth a'r cyfalaf i drawsnewid y diwydiant llechi yn Nyffryn Ogwen yn gyfan gwbl. Llwyddodd Pennant i brynu rhan Syr George Yonge ym 1785.

* Gw. *Un o Wŷr y Medra: Bywyd a Gwaith William Williams, Llandygái* (Dafydd Glyn Jones). Gwasg Gee, Dinbych, 1999.

Chwarel y Penrhyn 1872

Y peth cyntaf a wnaeth Richard Pennant oedd talu allan y prydleswyr oedd wedi gweithio'r chwareli bach, a'u cyflogi i agor un chwarel fawr ar Gae Braich y Cafn, lle yr oeddynt eisioes wedi cael hyd i'r cerrig gorau.

Gan fod yr hen ddull o gludo'r llechi mewn cewyll at y llongau yn araf a chostus, fe adeiladodd Richard Pennant ffordd newydd i gludo'r llechi i'r cei drwy ddefnyddio ceffylau a throliau, ym 1792. Âi'r ffordd yma o Aber Cegin i'r chwarel, heibio Penlan, hyd at lle y codwyd Pont y Pandy (Half Way Bridge) ym 1819; yna i fyny lôn Dinas, trwy Hendyrpeg a Tanysgrafell, heibio Coed y Parc ac i fyny am y chwarel. Erbyn heddiw, mae'r darn yma ohoni wedi ei gladdu dan y tomennydd rwbel. Yn ddiweddarach aed â'r ffordd ymlaen ar hyd ochr orllewinol Nant Ffrancon a thrwy Nant y Benglog i Gapel Curig. Yno adeiladodd Richard Pennant y Capel Curig Inn ym 1798 (yn ddiweddarach y Royal Hotel), i ddenu ymwelwyr a oedd yn methu mynd i'r Cyfandir i deithio na dringo oherwydd y rhyfel yn erbyn Ffrainc (Rhyfeloedd Napoleon fel y'u gelwid) a oedd erbyn hyn yn eu pumed flwyddyn.

Er bod y rhyfel wedi creu cryn ddirwasgiad mewn masnach yn gyffredinol, profodd y ffordd newydd i fod yn fanteisiol iawn. Yr oedd modd cario llawer mwy o lechi â throliau na chyda'r cewyll. Benjamin Wyatt II oedd yn gyfrifol am hyn a llawer o'r gwelliannau eraill a wnaed i'r stad ar droad y ganrif. 'Roedd yn ddyn galluog a medrus, yn syrfewr tir ac yn bensaer, ac wedi ei benodi yn asiant y Stad ym 1785.

Ym 1790-91 adeiladwyd porthladd newydd, y cei, yn Aber Cegin i hwyluso llwytho'r llechi i'r llongau ac ym

1800 cychwynnwyd ar y gwaith o wneud ffordd haearn o'r porthladd i'r chwarel. Gorffennwyd y ffordd yma, a oedd o waith llaw i gyd, ym 1801 - naw mis yn unig ar ôl ei dechrau. Ceffylau oedd yn symud y wageni yn ôl a blaen ar y llefydd gwastad. Rhwng y rhain 'roedd tair allt (*incline*) ac arnynt beirianwaith yn manteisio ar bwysau'r wageni llawn i dynnu'r rhai gwag i fyny'r allt ar eu ffordd yn ôl i'r chwarel. Lleoliad y tair gallt oedd, un gyferbyn ag Allt Marchogion (ger Mynwent Dinas Bangor heddiw), yr ail wrth fferm Dinas, lle mae tŷ i'w weld o hyd o'r enw Pen Isa'r Allt a'r drydedd wrth Cilgeraint.

Y Felin Fawr

Yn ôl Hugh Derfel Hughes (1866), sefydlwyd y Felin Fawr tua'r flwyddyn 1813. Fodd bynnag yr oedd un adeilad yno ym 1801; *"stablau i'r mulod bach"* fel y byddai'r diweddar Albert Thomas, Hirdir, yn eu galw. Gwnaed tai yma ym 1875 ac mae'r enw Tai Stablau arnynt o hyd i'n hatgoffa o'u tarddiad.

1: Tai Stablau.

Mae'n rhaid bod yno efail a gofaint gerllaw yn gynnar yn hanes y chwarel, i bedoli ac i drin gêr y chwarelwyr.

2: Darn o'r Felin gyntaf.

3: Yr ail Felin ar y chwith.

'Roedd y lôn a'r ffordd haearn yn dod drwy'r safle, ond y peth pwysicaf i benderfynu lleoliad y Felin Fawr oedd y Galedffrwd, afon a redai i lawr ceunant yr Ocar o Fynydd Llandygai i'r Afon Ogwen. Rhaid oedd cael cyflenwad cyson o ddŵr i droi yr olwyn a weithiai'r peiriannau, hynny heb fawr o sŵn a dim llygredd.

Yr oedd pont fechan tros y Galedffrwd yn ymyl y ffowndri ac yn ddiweddarach gorchuddiwyd yr afon mewn traen mawr i ehangu'r safle. Caniatáodd hyn adeiladu'r gweithdai a ddatblygwyd ar y lle fel y cynyddodd gofynion y chwarel.

Adeiladwyd y felin gerrig gyntaf tua 1813; ei diben oedd i lifio cerrig llechfaen mawr a elwir yn gerrig melin. Fel canlyniad i hyn, cafodd yr enw Y Felin Fawr. Ceir disgrifiad o'r modd y gwnaed hyn gan Hugh Derfel Hughes: "*Perthynai i'r hen Felin un ar bymtheg o fframiau, yn cael eu llusgo yn ôl ac ymlaen gan granciau, y rhai oeddynt mewn cysylltiad a'u gilydd, ac yn derbyn eu hysgogiad oddiwrth yr olwyn ddwfr; ac oddi tan y fframiau hyn ac yn nghlyn â hwynt yr oedd math o gyllyll, ond a enwid yn llifiau, y rhai a dynnid yn ôl ac ymlaen gan y cranciau, nes gwneud brâth yn y cerrig fyddai tanynt; a chan y byddai dyn yn ei waith yn rhoddi tywod y môr yn y brathiadau, i'r rhai dyferai dwfr o gafnau, a llifiant eu gafael trwodd yn fuan.*"

Pan ehangwyd yr adeilad yma ym 1834, defnyddiwyd blociau o lechfaen wedi eu llifio ac nid cerrig gwenithfaen fel y darn gwreiddiol.

'Roedd William Francis yn oruchwyliwr y chwarel ym 1826, swydd a ddaliodd am ddeugain mlynedd. Ym 1846 adeiladodd felin gerrig newydd ac yn hon defnyddiwyd llifiau crwn am y tro cyntaf. Dechreuwyd hefyd ddefnyddio peiriannau i blaenio'r llechfeini ac eraill i'w caboli. Gyda'r rhain gwnaed byrddau biliard, cistiau i ddal dŵr ac i halltu cig (cedwir enghreifftiau o'r rhain yn Sain Ffagan), cerrig aelwyd, llechi o amgylch gratiau, grisiau, cerrig drws, cerrig beddau, siliau ffenestri a llawer o bethau eraill. Yr oedd hyd yn oed paneli trydan y llongau 'Queen Mary' a'r 'Queen Elizabeth' wedi eu gwneud o lechfaen Chwarel y Penrhyn. Rhinwedd y

4: Yr estyniad.

llechfaen oedd nad oedd fawr ddim yn amharu arni. 'Roedd yn hawdd i'w chadw'n lân, yn rhesymol i'w phrynu, ac yn para yn hir fel y tystia cannoedd o gerrig beddau a thoeau tai yr ardal. Yn ôl yr ychydig lyfrau cyfrifon o'r Felin Fawr sydd yn yr Archifdy yng Nghaernarfon, yn dyddio o 1834, ceir prisiau rhai ohonynt 'Two cisterns 14 cu. ft. content', y ddwy am £1-5-8. 'Patent ridge', sef darnau crwn hir i'w rhoi ar grîb tô, am 6 cheiniog y droedfedd. Gwerthwyd rhain yn y wlad yma a'u hallforio o'r cei i lawer o lefydd fel Southampton, Llundain, Lerpwl, Alnwick, Youghal, Dulyn ac i'r Cyfandir.

Dengys y cynllun o'r safle bod y Ffowndri wedi ei chodi ym 1832 ac olwyn ddŵr ugain troedfedd ym 1846. Mae'n debyg bod hon yn yr un lle â'r olwyn wreiddiol; adeiladwyd y Felin Fach yr un flwyddyn.

Aeth un ar ddeg ar hugain o flynyddoedd heibio cyn yr adeiladwyd y gweithdy peirianyddol ym 1877, yn cynnwys lle i'r gofaint, y seiri coed a'r ffitars. Ym 1889 adeiladwyd y Felin Isaf, ar dir yr ochr arall i'r ffordd newydd a wnaed

16

5: Cwt Olew.

6: Lle gwag o flaen y siediau Locos lle bu'r gweithdai cyn y tân.

7: Pont Coed Parc.

8: Pont Felin Isaf.

i lawr y nant gan y 'Turnpike Trust' ym 1805. Bu cwmni o'r enw 'Ogwen Tile Works' yno o 1893 hyd 1903, pan newidiwyd yr enw i 'Ogwen Tile and Brick Works'; yn ddiweddarach galwyd yn 'Lower Slab Mill' (Felin Isa').

9: Y Waliau.

Ym 1900 gwnaed pont i gario'r ffordd i fyny allt yr Ocar tros y lein bach oedd yn dod o'r chwarel i'r Felin ac yn ei blaen i'r cei. Hon oedd Pont Coed y Parc neu Pont Foulkes. Gwnaed pont hefyd i gario'r lein bach tros y ffordd i'r Felin Isa'. 'Roedd canghennau o'r ffordd haearn yn mynd i mewn i bob un o'r adeiladau i hwyluso cario pethau trwm i mewn ac allan ohonynt.Ym 1906 gosodwyd olwyn ddŵr arall, a'r flwyddyn ganlynol ehangwyd safle'r Felin Fawr trwy adeiladu'r waliau mawr y mae llawer ohonom yn eu cofio. (Dyddiadau uchod o lyfr J.I.C. Boyd, *Narrow Gauge Railways of North Caernarvonshire*).

Dyfodiad Trydan

Wedi troad y ganrif daeth trydan yn bwysig mewn diwydiant, a daeth o ddefnydd yn Chwarel y Penrhyn hefyd. Ym 1912 daeth cwmni o'r enw 'North Wales Power' â thrydan yno o Gwm Dyli i is-safle drydan ar bonc Agor Boni. Yma trawsffurfiwyd i lawr i 500 o foltiau - yr hyn a ddefnyddiwyd yn y chwarel.

10: Adeilad y Trydanwyr ym mhonc Agor-Boni.

Tua 1922 penodwyd Mr. Huw Owen, Pen Rhiw, yn brif beiriannydd trydan, i fod yn gyfrifol am orffen y gwaith o drydaneiddio yr holl safleoedd. Yr oedd yn rhannol gyfrifol hefyd, gyda'r prif beiriannydd mecanyddol, am gynllun i osod twrbin a chynhyrchydd trydan yn y Felin Isaf ym

11: Is-safle drydan yn yr un man.

1926-7. Pwrpas y cynllun yma oedd cynhyrchu digon o drydan i weithio'r hen waith llwch a'r pwmp dŵr 125 H.P. ym mhonc 'Princess May' yn y chwarel a'r gweithdy yn y Felin Fawr.

Golygai hyn gael cyflenwad o ddŵr dan wasgedd, a chafwyd dŵr o'r Marchlyn Mawr (heddiw'n cael ei ddefnyddio i gynhyrchu trydan gan y 'First Hydro' yn Llanberis) wedi ei leoli 2,000 o droedfeddi uwchben y môr yng nghesail y Fronllwyd a'r Elidir Fawr, i argae llyn Amana ym mhen uchaf ceunant yr Ocar, lle bu rhaid ehangu'r gronfa fechan a oedd yno yn barod.

Cafwyd digon o raean o waelod y llyn i wneud y concrid. Oddi yno aed â'r dŵr mewn pibellau haearn pymtheng modfedd ar draws a osodwyd i lawr ceunant y Galedffrwd. Owen Hughes, Tai Bryn Eglwys, oedd pen y seiri meini yr adeg honno, a Robert Jones, Gefnan, oedd yn gyfrifol am ddod â'r pibellau gyda cheffylau o Bonc Ffridd at Bryn Gwalchmai ym mhen uchaf allt yr Ocar.

Oddi yno gollyngwyd hwynt i lawr y ceunant gyda wins a weiar-rôp, fel hyn hefyd aeth y sment a'r graean i lawr

21

a hefyd y peiriant tyllu, i saethu'r graig lle byddai angen i wneud lle i'r pibellau. Gwaith oedd angen pwyll a gofal oedd hyn; haearn bwrw oedd y pibellau a byddai trawiad yn erbyn y graig yn ddigon i'w malu. Golygai'r crac lleiaf waith dau ddiwrnod i ffitar ei llifio gyda llif llaw.

12a: Y tri thrydanwr yn y 50au.
(John Owen Thomas, Brian ac Albert Thomas.

22

Tra oedd un rhan o'r pibellau yn cael eu gosod o lyn Amana i lawr, yr oedd y rhan arall yn cael eu gosod o'r twrbin i fyny, gan fynd trwy'r traen mawr dŵr o dan leoliad y gweithdy a'r ffowndri ac i fyny i ganlyn y Galedffrwd a'i gyfuno gyda'r darn uchaf i wneud un bibell fawr tua 1,600 troedfedd o hyd. Mae'r hen bentanau concrid oedd yn eu cario i'w gweld o hyd rhwng Pont y Galedffrwd wrth y 'Band Room' a waliau mawr y Felin Fawr. 'Roedd llyn Amana 360 troedfedd yn uwch na'r twrbin.

Y modd o osod y pibellau yn ei gilydd oedd drwy eu calcio. 'Roedd blaen un bibell yn mynd i goler un arall, yna rhoddwyd sbwnial (math o raff arbennig o gywarch 'hemp') wedi ei fwydo mewn cŵyr i mewn yn y goler a'i guro i mewn rhwng y ddwy gyda chŷn pwrpasol â thrwyn fflat iddo, nes ei bod yn hanner llawn. Yna gorffen llenwi'r goler â phlwm pwrpasol ar ffurf edafedd. Yr oedd yn rhaid curo hon i mewn yn galed iawn i ddal y gwasgedd dŵr rhag iddo ollwng. Dyma oedd y broses o galcio. Amcangyfrifwyd bod tua 4,000 o alwyni y funud yn dod i lawr y pibellau i droi y twrbin, felly gwelwch nad oes dim yn newydd mewn defnyddio dŵr y Marchlyn Mawr i gynhyrchu trydan.

Byddai'r twrbin yn cynhyrchu ddydd a nos yn y blynyddoedd cynnar, i gyflenwi trydan a gadwai'r gwaith llwch i fynd; tri dyn, Sam Davies, William Edwards a Sam Thomas oedd yn gweithio shifftiau o wyth awr yr un i edrych ar ei ôl. Yn ddiweddarach Harry Parry, Bryncul, oedd yno yn gweithio'r dydd yn unig.

Dim ond rhan o ddŵr llyn Amana oedd hyn, rhedai y gweddill i lawr y Galedffrwd i lyn Coed y Parc. Defnyddiwyd rhan o hwn eto - tua 3,000 o alwyni y funud - i droi y ddwy olwyn ddŵr oedd yn gyrru peiriannau y felin gerrig a'r gweithdai. 'Roedd digon o ddŵr wedyn wrth gefn. Mae'n anhygoel meddwl bod cymaint o ddŵr yn dod i lawr Yr Ocar bob dydd.

Mae'n syndod cyn lleied o bobl yr ardal sydd, ac yn wir oedd, yn gwybod faint o waith (a hwnnw'n waith o safon uchel) oedd yn cael ei wneud yma o'r adeg pan oedd y chwarel yn ei hanterth a 3,000 o ddynion yn gweithio ynddi.

12b: Gweithwyr y felin yn 1926.

Rhes ôl: R. Cale, J. Williams, W. Ifon Huws, Harold Huws, E. Parry, David ?

Rhes ganol: Jonny Huws, J. L. Jones, Ifor Roberts, Moses D. Jones,
Baden Evans, Walter Williams, J. Edmund Jones.

Rhes flaen: Charlie Price, Perci Parry, J. Cefni Jones, Eric Jones, B. T. Williams,
Ted Williams, Mr. Ivor Jones (Peiriannydd), Benson Williams, E. Pritchard.

Cyfarpar Gwaith y Chwarel

Mae'n ddiddorol rhestru'r gwahanol beiriannau a pheirianwaith a ddefnyddiwyd gan y chwarelwyr - offer y byddai galw arnom ni, hogiau'r Felin Fawr, i'w trwsio o bryd i'w gilydd.

Y SIEDIAU. Dechreuwn gyda'r siediau yn y chwarel lle'r oedd y dynion yn llifio, hollti a naddu'r cerrig, yno 'roedd y byrddau llifio a'r peiriannau naddu.

Y TANCIAU DŴR (*balance tanks*). Y rhain oedd yn codi'r cerrig i fyny o'r twll. Dau gaets di-dalcen oedd y rhain a thanc yn dal tunelli o ddŵr ar ben bob caets, deuai'r dŵr o lyn Owen-y-ddôl ar hyd ffos a phibellau i'r tanciau ac yn cael eu rheoli gan falfiau. Idwal Griffith (Idwal dŵr), Gefnan fyddai yn gyfrifol am ollwng a chau'r dŵr bore a nos.

Tra oedd un yn y top 'roedd y llall yng ngwaelod y siafft wedi eu cyplysu â'i gilydd â belt o wifren wedi ei blethu (tua chwe modfedd o led a thua modfedd o drwch) a redai dros olwyn fawr uwch eu pennau. Ar hon gweithiai y brêc hefyd.

Rhedai'r tanciau, fel y'u gelwid, ar fframwaith o goed mawr wedi eu gosod i lawr drwy'r siafft i'r gwaelod. Yno byddai lefel (twnel) yn rhedeg allan i'r bonc y byddent yn codi ohoni. Rhoddid dwy wagen neu ddwy slêd a llwyth o ddwy dunnell o lechi yr un yn y tanc gwaelod a dwy wagen wag yn y tanc uchaf, yna gollyngid digon o ddŵr i danc yr un uchaf i godi'r un gwaelod i fyny. Rheolid cyflymdra hyn drwy ddefnyddio'r brêc; gollyngid y dŵr allan yn y gwaelod lle rhedai i afael y pympiau fyddai yn codi dŵr wyneb y chwarel; wedi eu lleoli wrth waelod tanc ponc 'Princess May'. Câi'r dŵr ei bwmpio i fyny i'r traen mawr a wnaed yn bwrpasol i hyn; 'roedd hwn dros filltir o hyd a deuai allan yn is na phont Sarnau i lyn Chaeni, Afon Ogwen.

13: Tanc ar bonc Red Lion.

Yr **ELLTYDD** (*inclines*). 'Roedd rhai o'r rhain yn gweithio drwy bwysau'r wageni llawn a oedd yn mynd i lawr yr allt yn tynnu'r rhai gwag i fyny, trwy eu cyplysu i'r gadwyn a fyddai'n mynd yr holl ffordd i fyny ac i lawr yr allt, yna o amgylch dwy olwyn ar eu fflat yn y top a'r gwaelod. Dim ond brêc oedd ei angen ar y rhain a hwnnw ar yr olwyn uchaf; rhai eraill yn gweithio â pheiriant trydan a drwm a rhaff wifren yn cael ei throi amdani i dynnu'r wageni llawn i fyny.

Mae olion hen allt i'w gweld o hyd o 'Red Lion' i fyny i Twlldwndwr, oedd yn cael ei gweithio drwy ddefnyddio pwysau dŵr yn mynd i lawr i ddod â'r wageni llawn i fyny. Dyma'r math a ddefnyddiwyd cyn dyfodiad trydan i'r chwarel.

26

14: Olion yr allt oedd yn gweithio gyda phwysau dŵr.

Y JERI M. Dyfais ddiddorol arall oedd y rhaffau wifren dwy fodfedd o drwch a oedd wedi eu tynhau ar draws twll y chwarel o un ochr i'r llall, yr oedd chwech o'r rhain

15: Y Blondin yn chwarel Vivian Llanberis.

mewn gwahanol safleoedd a rhai dros 1,000 o droedfeddi
o hyd. Yno rhedai gyfarpar ar olwynion yn ôl a blaen ar
hyd y gwifrau i godi wageni o bonciau nad oedd modd dod
â wageni oddi arnynt, heb eu codi i bonc Sinc Bach neu
bonciau lle oedd tanc neu allt yn dod ohonynt.

Trefor Williams, Ffordd Ffrydlas fyddai yn gyfrifol am y
rhain fel ei dad, Twm Pŵal, o'i flaen. Byddai Trefor yn
trafaelio arnynt ar draws y chwarel bob pythefnos i'w
harchwilio. Cymerai ddiwrnod caled o waith i wneud
dolen ar ben y rhaff wifren a'i spleisio.

Blondin fyddai'r enw ar y cyfarpar ar ôl y gŵr a
gerddodd tros y Niagara ar wifren. Enw arall arnynt oedd
Jerry M. ar ôl ceffyl y Vaenol a enillodd y 'Grand National'
ym 1912.

Y PIBELLAU AER. Yr oedd rhwydwaith o'r rhain er
mwyn cael digon o aer dan wasgedd i weithio'r peiriannau
i dyllu'r clogwyni. Ceid y cyflenwad yma gan dri
"compressor", un ym mhonc Sinc Bach a phonc William
Parry yn cael eu gyrru gan drydan. Cafodd y trydydd ei

28

16: Y Jeri M yn cyrraedd y bonc.

osod wrth Ogwen Bank tua 1929-30. Gyrrid hwn gan
ddŵr o'r argae uwch Bont Ogwen a ddaeth iddo drwy
bibell tair troedfedd o drawsfesur i droi twrbin o

wneuthuriad Gilbert Gilkes and Gordon Ltd., Kendal. Yr oedd hwn yn ei dro yn troi "compressor" o wneuthuriad Fullerton Hodgart and Barcley Ltd., Paisley. Cyn hyn, tua dechrau 1929, yr oedd gwely yr Afon Ogwen wedi ei symud yn nes at Ogwen Bank drwy wneud hafn dyfn, rhag i'r afon foddi twll y chwarel, wrth i hwnnw fynd yn ddyfnach. Cynllun arall a fu dan sylw oedd gwneud twnnel o Bont Ogwen hyd at Bont y Tŵr, ond ni ddatblygwyd hyn.

Y GWAITH LLWCH. Yn yr adeilad yma mae peirianwaith i falu y llechi ysbwriel yn ronynnau o wahanol faint i lawr i lwch. Dechreuwyd arbrofion i hyn yn y dau ddegau pan osodwyd y cynhyrchydd trydan yn y Felin Isaf i gael y trydan i'w yrru ac mae yn rhan bwysig a phroffidiol yn economi y chwarel byth er hynny. Gwerthwyd y cynnyrch yma dan yr enw 'Fullersite' a'i ddefnyddio i wneud paent, rwber, ei gymysgu gyda tar i wneud ffyrdd, a llawer o bethau eraill erbyn heddiw. Mae galw cyson amdano, ond yn lle difrifol i weithio am bod cymaint o lwch mân ym mhobman. Rhai blynyddoedd yn ôl, 'roedd blociau adeiladu 18″ x 9″ x 4″ a rhai 9″ x 9″ 4″ yn cael eu gwneud yma allan o ronynnau mân o lechi a sment.

Y WAGENI. Yr oedd cannoedd o'r rhain ar fynd yn gyson, yn cynnwys rhai arbennig i gario llechi toi a brêc ar rhai ohonynt, rhai pren i'r bagiau papur llwch llechi 'Fullersite' i fynd i lawr i'r cei. Rhai gwahanol i ddod â glo i fyny yn ôl o'r cei i'w ddefnyddio gan yr injins stêm, y gofaint, tanau yn y swyddfeydd a'r stofau yn y cytia bwyta, i ferwi dŵr i'r dynion gael panad. Sledi (heb ochrau) i gario cerrig o'r twll i'r siediau a wageni haearn i gario rwbel i ben y domen.

NAFI. Peiriant mawr ar draciau i lwytho oedd hwn, Nafi neu 'American Devil' fel y'i gelwid.

Y MOTORS BACH oedd mor ddefnyddiol i symud pethau mewn llefydd oedd yn rhy fychan i'r injan stêm allu mynd.

Yr oedd y gwaith cynnal a chadw yn aruthrol, heb sôn am wneud pethau o'r newydd. Yr oedd yna grefftwyr sefydlog yn y chwarel, gofaint, seiri coed, seiri meini, fforddolion, trydanwyr a ffitars i gadw'r peiriannau ar fynd. Ond yr oedd rhaid dod â rhai pethau i lawr i'r Felin i'w trin.

Ychydig iawn o wastraff oedd yn y Felin Fawr gan fod yr haearn bwrw a'r treuliadau pres o'r pethau oedd wedi torri neu or-wisgo yn cael eu hail doddi yn ffwrnais y ffowndri; câi'r echelydd mawr eu byrhau a'u turnio i lawr i wneud rhai llai. Hyn oll cyn bo sôn am ail-gylchu!

Mae'n werth hefyd dwyn i gof crefftwyr mor dda oedd yno i alluogi'r holl waith gael ei wneud. Yr oedd y rhan fwyaf ohonynt wedi eu dwyn i fyny gyda'r gwaith, a phan symudai rhai ohonynt at gwmni arall, buan iawn yr enillent barch, ac y gwerthfawrogid hwy am eu bod yn gallu troi eu dwylo at gymaint o wahanol bethau - o injan stêm, injan diesel neu betrol a defnyddio unrhyw beiriant, heb sôn am ddawn eu gwaith llaw. Ychydig iawn sy'n cael prentisiaeth mor drwyadl â hyn heddiw.

17: Y fynedfa i'r felin.

18: Prentisiaid 1943
Cefn: Eric W. Jones, Ifan Huws, (?), Baden Evans, (?),
Canol: Gwilym Rees Roberts, Will M. Williams, Elwyn ?, Raymond Huws;
Blaen: Theo Roberts, Will Vaughan, Arthur ?.

32

Profiadau Personol

Mae sôn am hyn yn dod â llawer o atgofion yn ôl am y Felin Fawr, fel yr oeddwn i yn ei chofio dros hanner can mlynedd yn ôl.

Cefais gyfweliad ym mis Awst 1943 yn Offis Fawr y chwarel gan Major Griffith, a chael fy ngyrru oddi yno i ysbyty'r chwarel i gael archwiliad meddygol gan yr hen Ddoctor Gruffydd. Ymhen ychydig ddyddiau daeth Amwel Pritchard, Bryn i lawr i'm cartref, Llwynpenddu, Llanllechid gyda llythyr o'r chwarel yn dweud y cawn ddechrau fel prentis ffitar. Mynd bob dydd wedyn gyda bws las Edwin Ellis o'r Llan am gontract o hanner-coron yr wythnos, a mynd i lawr ohoni wrth ben Lôn Stesion ym Methesda. Yna cerdded gyda Ifor Thomas, Llan, a'r dynion eraill ar hyd y cob a thros Bont Sarnau, i fyny heibio 'Francon View' i'r Felin.

Pedwar neu bump prentis ffitar a dderbyniwyd bob blwyddyn ond dim cymaint o brentisiaid seiri a gofaint.

Joe Battersby, dyn yn enedigol o Ynys Manaw, oedd prif beiriannydd y Felin Fawr, y chwarel a'r cei, a Badan Evans, Plas Nant, Mynydd Llandygai yn oruwchwyliwr yn y gweithdai. Yr oedd yn lle rhagorol i ddysgu crefft. Cymdeithas glos oedd yno ac yn naturiol, 'roedd yna lawer o dynnu coes; 'toedd dim diben bod yn groen-denau.

Cefais fy ngyrru i drin bwrdd llifio John Williams, Pant (John fawr) a bûm wrthi am rai dyddiau a theimlo fy mod wedi gwneud gwaith da arno. Wedi mynd yn ôl i'r gweithdy, gofynnais i Badan ddod i'w weld ond yr ateb oedd, "Wyt ti yn dweud ei fod yn iawn?" "Ydw," meddwn i. "Yna 'toes dim angen i mi weld," a rhoddodd waith arall i mi ei wneud yn syth; finnau yn siomedig iawn nad oedd canmoliaeth i'w gael ganddo.

Ymhen ychydig ddyddiau daeth Badan a John ataf i'r gweithdy a Badan yn ffraeo, "Y dyn yma'n colli arian am nad ydi o'n gallu llifio gyda'r bwrdd." Y tri ohonom yn cerdded i'r Felin Gerrig a Badan yn tantro ar hyd y ffordd. Cyrraedd y sied, a'r dynion yno yn smalio gweithio; John yn rhoi y bwrdd i lifio, a'r garreg felin a'r bwrdd yn dirgrynu. Finnau yn sefyll fel mudan yn edrych arno a methu deall beth oedd o'i le. Yna gofynnodd un o'r dynion i Bob Davies y clerc: "Be ydi'r dyddiad heddiw, Bob?" "Y dydd cynta' o Ebrill", meddai. Stopiais y bwrdd ac edrych ar y llif gron, yna sylweddolais, er mwyn fy mhryfocio, eu bod wedi dechrau llifio y lechen ac yna wedi symud y bwrdd a throi y llif nes bod ei dannedd yn pwyntio y ffordd arall, fel na allai lifio. Dyna fi wedi cael fy nal, a Badan wrth ei fodd.

'Roedd yn rhaid gwrando yn astud ar y sawl oedd yn ein dysgu, a derbyn cerydd heb lyncu mul nac ateb yn ôl. Câi'r sawl oedd wedi gwneud rhywbeth o'i le andros o ffrae ac ni oddefid rhegi nac unrhyw fath o iaith anweddus.

Yn ystod y brentisiaeth hefyd cawsom lawer o gynghorion da, megis:

"Paid â rhoi yr un gwaith o dy law heb fod yn berffaith sicr ei fod yn iawn. Wnaiff neb ofyn faint o amser a gymeraist i'w wneud, ond yn hytrach pwy a'i gwnaeth."

"Paid â phwyntio dy fys at neb oherwydd mae'r gweddill yn pwyntio yn ôl atat ti, felly dechrau gyda thi dy hun."

"Os nad oes gennyt air da i ddweud am neb, paid â dweud un gwael."

Os byddai rhywun yn gwneud neu ddweud rhywbeth gwirion, y dywediad oedd: "Beth wyt yn ei ddisgwyl gan ful ond cic."

"Cofia hefyd eu bod wedi talu am lafn y lli haearn ar ei hyd, felly cofia ei defnyddio o ben i ben; 'toes dim byd i'w gael am ddim, mae rhywun wedi talu amdano'n rhywle."

Hen bethau bach fel hyn yn dal i aros yn y cof. Piti na fuasai mwy o hogiau wedi cael eu dysgu yn y modd yma.

Yn ystod y rhyfel, byddai milwyr yn ymarfer yn y mynyddoedd, yn enwedig yn Waen Bryn ger Bryn Hall, Llanllechid. Cefais hyd i 'thunderflash' heb ei thanio yno un pen wythnos, mynd â hi i'r Felin dydd Llun a cafodd un o'r hogiau hyd i ddarn o ffiws i roi ynddi. Yn y prynhawn dyma'r hogiau allan tu draw i'r olwyn ddŵr, i iard oedd yn llawn o bob math o hen haearn; rhoi'r ffiws yn y 'thunderflash', ei danio, a'i ollwng i danc petrol gwag oddi ar un o'r hen geir, yna ymochel tu ôl i'r haearn. Pwy oedd yn dod i'n cyfeiriad ond Badan a'i ddwylo yn ei bocedi. Dyna glec nes bod y tanc yn yfflon, Badan druan yn codi'n syth bin oddi ar y llawr a'i het oddi ar ei ben a ninnau yn rhedeg fel llygod mawr i bob cyfeiriad. Sôn am ffrae gafodd bob un ohonom wedyn! Sut y bywiodd y creadur i fod yn 93, 'dwn i ddim.

'Rwy'n meddwl yn ddifrifol yn aml, wrth edrych yn ôl, am yr amynedd oedd gan Badan efo ni yn chwarae o gwmpas, ond y fo oedd un o'r rhai gwaethaf am dynnu coes. 'Roeddem wedi mynd allan i'r iard gyda Badan un diwrnod i edrych am haearn neu gastiad i wneud gwaith. Tric Badan oedd edrych dros y wal i lawr y ffordd ac os gwelai ferched yn cerdded heibio, byddai'n galw arnom, "Ew, yli be sy'n fanna." Wrth i ni edrych, yn ddiniwed, chwibanai Badan a gwyro o'r golwg, ac felly un o'r hogiau fyddai yn cael y bai.

19: Cwt olwyn ddŵr, y Cwt paent ar y chwith, wedyn drws y tŷ-bach.

Nid oedd dim i gynhesu'r gweithdai a byddai yn oerach y tu mewn yn aml yn y gaeaf am bod y 'pulleys' a'r beltiau yn dueddol o greu drafft, a hefyd am bod y Galedffrwd yn

20(a) a 20(b): Y gweithdai wedi llosgi, 1952.

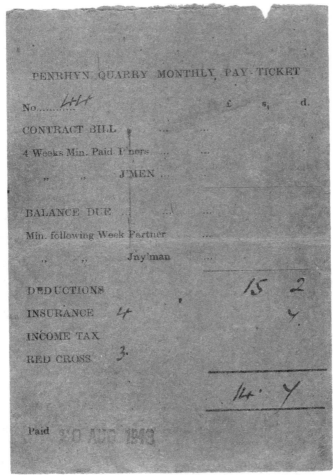

21: Fy mhapur pae cyntaf.

rhedeg o dan y gweithdy. Y gred oedd ei fod yn lle iach iawn i weithio am ei bod yn rhy oer i'r un *germ* allu byw yno.

Yr oedd yno dŷ-bach gogoneddus, nad oedd ei fath yn unman 'rwy'n siŵr, wedi ei leoli uwchben yr olwyn ddŵr a honno wedi ei lleoli uwchben ffordd wreiddiol Pennant i'r chwarel. Lle i bedwar oedd yno a dim ond cyfwng rhwng bob un. Dim drysau, dipyn o "open plan" - dim yn lle i oedi yn y gaeaf!

PENRHYN SLATE QUARRIES.
INTERIOR OF WORKSHOPS.

22: Y Gweithdai.

Y cyflog ar y pryd oedd pymtheg swllt a dwy geiniog yr wythnos am y flwyddyn gyntaf ac yn codi ychydig bob blwyddyn nes gorffen pedair blynedd o brentisiaeth a'u dilyn efo blwyddyn o 'improvership', pan godai'r tâl i gini yr wythnos.

Lle agored iawn hefyd oedd adeilad y siop seiri, y gweithdy mecanyddol a'r efail. Yr olwyn ddŵr oedd yn gyrru'r rhain i gyd yn wreiddiol, ond pan gafwyd y twrbin, gyrrwyd y gweithdy mechanyddol a'r efail gyda motor trydan. Hyd yn oed wedyn, 'roedd modd gweithio'r cwbl gyda'r olwyn ddŵr pan fyddai angen trin y twrbin.

O dan ran helaeth o'r siop seiri 'roedd selar a grisiau llydan cerrig yn mynd i lawr iddi. Yno 'roedd echel fawr wedi ei chysylltu i'r olwyn ddŵr i yrru peiriannau'r siop seiri.

Y rhai wyf yn gofio fel seiri yno yn y pedwar degau oedd Johnny Hughes, Penrala, Ifan Hughes, Llanbabo, Alf Hughes, Tai Duon, ac un prentis.

23(a) a (b):
Patrymau pren at ddefnydd y ffowndri.
(Amgueddfa Lechi Llanberis)

40

Offer Gwaith Y Felin Fawr

Y SIOP SEIRI

Yr oedd pob math o offer yno at y gwaith: lli gron, plaen, 'band saw', morteisiwr (a swn byddarol arno pan weithiai), lli yn gweithio i fyny ac i lawr â llafnau fel lli draws arni. 'Roedd hon yn cael ei gweithio gan granciau, a gellid llifio darn mawr o bren, neu foncyff coeden yn blanciau, am bod modd rhoi nifer o lafnau arni i weithio ochr yn ochr. Yno hefyd 'roedd turn i durnio coed, defnyddid hon gan Alf Hughes i wneud rhai o'r patrymau i'r ffowndri. 'Roedd yno silffoedd yn llawn o batrymau i bob rhan o beiriannau yr holl chwarel a'r cei a oedd angen eu hadnewyddu o dro i dro. Rhaid oedd gweithio allan faint yn fwy oedd angen gwneud y patrwm pren er mwyn caniatáu i'r castiad dynnu ato wrth oeri.

Yn anffodus, llosgwyd y rhain i gyd yn y tân mawr ar y 12fed o Hydref, 1952, pan ddinistriwyd cynnyrch ugeiniau o flynyddoedd o waith, y siop seiri a'r rhan fwyaf o'r gweithdy mecanyddol.

Mae'n werth cofio mai'r seiri fyddai'n gwneud y dodrefn i'r swyddfeydd ynghyd â ffenestri, drysau, ysgolion mawr hir oedd yn cyrraedd o un bonc i'r llall ar wyneb y clogwyni, byrddau a meinciau i'r cytiau bwyta, wageni, slipars lein a'r holl waith coed a oedd angen i'r gwahanol safleoedd.

Gwnaed y patrymau pren yn dda a gofalus gan y seiri; defnyddiwyd hwynt dro ar ôl tro gan y mowldiwr i wneud y castiadau. Er hynny, cyfrifoldeb y ffitar fyddai gwneud pob un o'r darnau i ffitio'n gywir drwy orffen eu trin. Heb hynny, byddai'r holl waith yn ofer.

Y GWEITHDY MECANYDDOL

Gyrrid y gweithdy mecanyddol gan beiriant trydan 70 H.P., trydan a gynhyrchid yn y Felin Isa'. Gyrrai hwn echel gyda beltiau fflat, a redai ar hyd y gweithdy ac un arall yn gyfochrog â hi. 'Roedd y rhain wedi eu cyplysu ar draws y pen gydag echel ac iddi olwynion cocos onglog, a'u treuliadau ar y trawstiau mawr o dan y to, fel y gwelir yn y darlun.

24: Pwliau a beltiau i yrru y peiriannau (Llanberis).

Peth diddorol iawn am yr olwynion cocos onglog oedd bod un yn gastiad soled trwyddi, ond bod ei chymhares wedi ei gwneud gyda thyllau hir-sgwar lle rhoddwyd dannedd pren wedi eu gwneud i ffitio. O ganlyniad rhedai'r ddwy heb fawr ddim sŵn. Os digwyddai rhyw rwystr, neu ran o'r peiriannau yn methu â throi, torrai rhai o'r dannedd pren; hawdd iawn oedd i saer roi dannedd pren newydd o'r rhai oedd wedi eu gwneud yn barod heb orfod tynnu dim byd o'i le, ond bôn y dannedd fyddai wedi torri.

Y 'RADIAL ARM DRILL'

Fel mae'r enw yn dweud, yr oedd braich i'r dril, a gellid symud y pen ar hyd y fraich yn ogystal â'i godi neu ei ostwng. Gellid gwneud twll o unrhyw faint i fyny i ddwy fodfedd a hanner o draws-fesur, drwy newid y bit, neu ddefnyddio 'pillar drill' i wneud tyllau llai.

25: 'Radial-arm drill'.

TURNIAU

Yr oedd pob math a maint o'r rhain; gellid gwneud pethau fel:

Echelydd o bob maint a hyd.

Olwynion ambell injan stêm, neu wagen brêc pan fyddai effaith llithro ar y ffordd haearn wedi gwneud lle gwastad arnynt.

43

26: Turniau.

27: Turniau.

28: Turniau.

'Piston rings' i'r peiriannau stêm.

Pwlis.

Borio 'bushes' allan ar ôl eu gosod yn ofalus ar y durn, hefyd treuliadau 'white metal' fyddai ar y felin yn y gwaith llwch ac ar y pympiau dŵr.

Gwneud edau ('thread') ar echelydd y byrddau llifio yn y felin gerrig. Trwy newid yr olwynion cocos ar dalcen y durn, byddai modd gwneud sawl edau i'r fodfedd ('threads per inch') wrth hogi yr erfyn i'r ffurf iawn a'i osod ar y turn.

PLAEN

Bwrdd fflat oedd ar hwn a lle i roi'r metel i'w drin yn sownd arno. Symudai'r bwrdd yn ôl a blaen ar hyd y gwely, a'r erfyn yn sownd a'i flaen i lawr uwchben y gwaith. Fel hyn 'roedd yn bosib i'r bwrdd a'r gwaith symud yn ôl a blaen o dan yr erfyn. 'Roedd modd hefyd codi a gostwng yr erfyn i'r dyfnder cywir i dorri wyneb y gwaith, fel ei aredig, a'i lyfnhau yn berffaith wastad.

SIAPAR ('SHAPER')

Peiriant arall lle gellid rhoi y gwaith yn sownd ar y bwrdd neu mewn feis haearn, a'r erfyn yn sownd uwchben y gwaith ac yn symud yn ôl a blaen fel y byddai'n llyfnhau wyneb y darn haearn a'i dorri i lawr i unrhyw drwch a ddymunid - e.e. lletemau ('key') i'r olwynion cocos a'r pwliau fflat a'u gorffen drwy eu ffeilio i ffitio'n dyn, neu wneud dannedd ar rai olwynion cocos.

29: Siapar.

Y SLOTAR

Peiriant yn gweithio i fyny ac i lawr oedd hwn i wneud hollt sgwâr (*slot*) yn ochr y twll crwn yng nghanol olwynion cocos, pwliau a chanol y llifiau crwn newydd i lifio llechi, i alluogi'r 'key' eu troi oddi wrth yr echel. 'Roedd lled yr hollt yn dibynnu ar y maint 'roeddym wedi minio'r (greindio) erfyn cyn ei osod ar y peiriant.

MILLER

Peiriant oedd hwn fyddai'n derbyn math o ddril o wahanol drwch a thrwyn fflat iddo ('end mill') i wneud hollt ar ben echel i roi 'key' ynddo neu 'slot drill' i wneud hollt ar yr echel i osod 'feather' ynddi i alluogi'r echel droi olwyn neu bwli fyddai wedi ei osod arni.

31: Miller.

30: Slotar '(Llanberis).

OLWYN LLIFO (GRINDER)

Dyma'r peiriant a ddefnyddid yn aml iawn gan bawb pan fyddai angen ail hogi erfynnau'r turn, y bitiau tyllu a chynion o bob math. Wrth lifo 'roedd rhaid rhoi'r erfyn yn y dŵr yn aml iawn rhag iddo boethi gormod a cholli ei galedwch.

PEIRIANT I DORRI EDAU

Trwy roi'r pedwar dei oedd mewn set yn eu trefn iawn yn y peiriant, 'roedd modd torri edau o'r maint fyddai'n addas i drwch yr haearn crwn. Ond ar y turn y gwneid edau gan amlaf.

Hyfforddiant a Phrentisiaeth

Rhan o waith y prentisiaid hyn oedd dangos i'r rhai iau sut i wneud y pethau syml a lle y cedwid y celfi. Y crefftwyr profiadol fyddai'n ein dysgu i wneud y pethau pwysicaf; Badan Evans, Ifor Roberts ac Ifor Jones yn y gweithdy, yn ein hyfforddi i hogi a gosod y celfi a'r darnau symudol ar y gwahanol beiriannau.

32: Ifor Thomas, Baden Evans a Gwilym Parry wrth y turn.

Y gwaith cyntaf a wnaem fyddai glanhau a thrin y castiadau a gwneud stofâu i fynd i'r cytiau yn y chwarel. Gwneid rhain drwy lifio a thyllu'r darnau i ffitio yn ei gilydd i wneud stof. Drwy hyn y dysgwyd ni i lifio gyda llaw, ffeilio a thyllu darnau, turnio a thyllu *bushes* castiad i ddal y treuliadau, a gwneud echelydd i'r gelltydd yn y chwarel.

Lle digon peryglus oedd hwn, i gymharu â safonau heddiw. Nid oedd 'guard' ar yr un o'r peiriannau na'r pwliau, a'r syndod oedd fod cyn lleied o ddamweiniau yn digwydd yno.

Gyrrwyd ni'r prentisiaid ffitars i wahanol adrannau am rai misoedd ar y tro; un ohonynt oedd y Sied Newydd, wedi ei henwi felly am iddi gael ei hadeiladu mor ddiweddar â 1935. Dyma'r eglurhad a gefais gan Gwilym Parry, Bethesda a ddechreuodd ei brentisiaeth yno y flwyddyn ganlynol.

33: Criw y gweithdy, Peirianwyr, Gofaint a Seiri.
Cefn: Baden Evans, John Parry Huws, Ifor Roberts, J. R. Jones, Glyn Jones, W. I. Jones.
Blaen: Bert Huws, Emlyn Roberts, W. H. Parry, William Roberts.

Owen Jarvis, a oedd yn byw ym Mangor oedd yno yn trin y peiriannau stêm, a fo a'n dysgodd sut 'roeddynt yn gweithio; sut i wneud 'joints' arnynt, ffeilio a chrafu'r treuliadau a sut y gosodwyd y pibellau yn y boiler. Atgyweiriwyd llawer o'r peiriannau stêm yn eu lle yn y chwarel os oedd modd, neu yn Sied Cob ar Ponc 'Red Lion', lle byddai Richie Roberts, 'Rynys, Rachub yn gyfrifol amdanynt. Weithiau byddai'n rhaid tynnu'r tanc dŵr, neu'r boiler, neu'r olwynion; bryd hynny 'roedd rhaid dod â hwy i lawr i'r Sied Newydd, o dan y craen a fedrai godi pum tunnell a thrafaelio ar hyd y sied yn ogystal ag ar ei thraws. Pan ddigwyddai hynny, byddai'r injan yn cael ei thrin yn gyfangwbl, a'i phaentio hefyd.

'Roedd pwll ('pit') hir yn y Sied Newydd fel bod modd mynd oddi tanynt i weithio. Yn un pen i'r sied yma 'roedd pentan i'r gof, weldar trydan, peiriant trydan i droi echel oedd yn gweithio'r *radial arm drill* a hefyd rhowleri haearn. Yr oedd modd rholio llen wastad o ddur i wneud peipen neu i wneud boiler, yna rifetio neu weldio'r ddwy ochr yn ei gilydd.

Treuliwyd cyfnod arall yn y sied gyfagos gyda Jack Douglas Evans o'r Gerlan. Dyma lle y dysgwyd i ni ddirgelion y motors bach a redai ar betrol neu ddiesel; yma atgyweiriwyd y peiriannau stêm cyn adeiladu'r Sied Newydd. Yma 'roedd pwll archwilio a mainc, a bloc a chadwyn i godi'r darnau.

34: 'Nesta' a 'Blanche' yn y sied newydd yn cael eu trin.

Gwnaed y motors bach petrol yn y Felin drwy ddefnyddio injan, gêrbocs, echelydd ôl, 'radiators' a boneti hen geir Morris, wedi eu prynu yn rhad, a'u gosod mewn fframiau haearn efo 'bumper' a dau sbring crwn, cryf tu blaen a tu ôl. 'Roedd rhain wedi eu powltio ar ddau gastiad hanner crwn (wedi eu castio yn y ffowndri) er mwyn cael pwysau i'r olwynion gael gafael ar y ffordd haearn.

Profodd rhain yn bethau hwylus dros ben, yn gallu mynd drwy lefydd cul ac isel, yn arbed llawer ar nerth dyn i symud y wageni. Adnabyddid pob un wrth ei rif; Rhif 14 a gedwid o amgylch y Felin Fawr.

'Roedd tair injan 'main line', h.y. o'r Felin i'r Cei: Charles, Blanche a Linda, ond dwy oedd yn gweithio ar y tro. Y ddau ddreifar oedd John Rowland o Fangor a Richard Roberts (Dic Tan y Bryn, fel y'i gelwid).

35: Ticed *Main Line*.

36(a) a (b): Dau fotor bach wedi eu gwneud yn y felin.

YR EFAIL

Yr oedd naw pentan yn yr efail, h.y. lle i naw gofaint weithio'r un pryd. Fel y ffitars a'r seiri, 'roedd gan y gofaint hefyd gyfarpar arbennig at eu gwaith; lli i lifio haearn (*power saw*), peiriant i dorri haearn llen (*guillotine*) a haearn ongl. 'Roedd hwn hefyd yn cynnwys pwnsh i dyllu haearn a morthwyl mawr oedd yn gallu taro cymaint â thunnell o bwysau.

Lle poblogaidd iawn oedd yr efail yn y gaeaf, gwnaem unrhyw esgus i fynd yno i gael cynhesu! Y tri gof yno oedd Griffith Jones, Penybryn, Jack Parry Hughes, Glasinfryn a Bob Roberts (fo fyddai'n weldio), y ddau brentis oedd Amwel Davies, Ffrwdgaled, Tregarth ac Edward John Hughes (Ned), Rachub.

Ar gyfer pob gof 'roedd dyn i'w gynorthwyo a tharo iddo - y rhain oedd Rolant Hughes, Pen Braich, Andrew Hughes o Bentir a Jack Roberts.

Fe wnai'r gofaint gynion caled o wahanol ffurf a maint fel y byddai galw amdanynt, hefyd celfi miniog i'r peiriannau yn y gweithdy. Gwnaethant wageni haearn a'u trwsio, a bachau i'r wageni.

37: White metal.

Yr unig adeg y byddai'r ffitars yn defnyddio tân yr efail oedd i doddi *white* (neu *babbitt*) *metal* ar un o'r pentanau gwag, i ail wneud treuliadau o'r newydd i'r gwaith llwch a'r pympiau dŵr yn Pennant. Gwneid hyn drwy roi crochan mawr ar y tân a rhoi blociau tua dwy fodfedd sgwâr o *standard white metal* o wneuthuriad E. P. Hoyte ynddo; hefyd toddid gweddillion y metel oddi ar y treuliad castin. Defnyddid papur hir wedi ei rowlio i fesur ei wres trwy dipio ei ben i'r crochan yn awr ac yn y man. Pan daniai'r papur byddai'r metel toddedig ddigon poeth i'w dywallt i'r treuliad a oedd eisoes wedi ei baratoi.

Y STORWS

Agorai drws o'r efail i hwn ac yno byddai William Edwat Bach yn teyrnasu. Adeilad eang yn llawn o'r llawr i'r to, yn orlawn a dweud y gwir, o bob anghenraid ar gyfer y gweithdy a'r chwarel. 'Roedd yno bob math a maint o bowltia, rhaffau hemp, rhaffau dur, pibellau i'r peiriannau stêm, rhawiau, ceibiau, heb sôn am y beltiau fflat a dûr newydd. Pan edrychem i fyny ar y pethau oedd yn hongian dan y to, 'roedd yr olygfa fel amgueddfa o hen gelfi.

Rhwng y gweithdy a'r efail 'roedd swyddfa Jo Battersby, a lle cul rhyngddi a'r storfa bach lle byddai swyddfa Badan Evans. Yma y cedwid sbaneri, myrthylau, ffeils ac offer ar gyfer y gweithdy. Nid oedd Battersby yn credu mewn paned naw na thri - "waste of time," meddai; byddai'n rhaid llyncu paned ar y slei!

Y FFOWNDRI

Bob Cale o Fangor a Willie Ifon Hughes o Fryn Eglwys oedd yn y Ffowndri, hwy oedd y mowldwyr fyddai'n defnyddio'r patrymau pren. Gosodid y patrwm mewn ffrâm o haearn deuddarn ar lawr y ffowndri, gan adael digon o le i bacio tywod arbennig yn dyn iawn o gwmpas y patrwm. Wedi gwneud hyn, tynnu hanner uchaf y ffrâm i ffwrdd a chodi'r patrwm pren allan yn ofalus iawn gan adael twll o'r un ffurf yn y tywod. Yna ail osod hanner uchaf y ffrâm haearn yn ei hôl.

38: Y ffowndri heddiw heb y simdde a'r ffwrnais.

39: Castio pres yn Llanberis.

Gwneid ugeiniau o'r rhain yr un pryd, nes byddai llawr y ffowndri yn llawn o fframiau. Gwaith caled iawn ar gefnau'r mowldwyr oedd hyn am eu bod yn gweithio yn eu plygiad yn wastad. Tra âi hyn ymlaen, byddai Barni ac un hogyn yn gorffen llenwi'r ffwrnais. Ar y talcen tu allan i'r adeilad oedd hon, a'r arllwysfa i mewn i'r ffowndri wedi ei gau gyda plwg o glai. Pan redai'r haearn, tynnid y plwg a llifai'r haearn toddedig i grochan mawr. Gellid symud y crochan gyda chraen uwchben y mowldiau. Dro arall, pres oedd yn cael ei doddi, ond mewn potiau ar dân poeth iawn mewn lle isel arbennig ym mhen draw y ffowndri y gwneid hyn. Diddorol a difyr iawn oedd gweld y dull yma o gastio pres mewn arddangosiad yn yr Amgueddfa Lechi yn Llanberis yn ddiweddar.

Y FELIN GERRIG

Soniais o'r blaen am y Felin Gerrig, man cychwyn y Felin Fawr ac o'r lle cafodd yr enw. Criw bach o ddynion oedd yn gweithio yno a'r hen olwyn ddŵr, (ugain troedfedd o draws-fesur), yn cynhyrchu'r ynni i yrru popeth. Pan gaewyd yr hen olwyn i lawr am y tro olaf yn y chwedegau gan Gwilym Parry, fe drodd ar ei hochr i bwyso ar y wal fel pe bai hithau wedi cael digon, ar ôl troi am yr holl flynyddoedd.

Cerrig melin y gelwid y cerrig mawr fyddai'n dod o'r chwarel. 'Roedd y rhain yn cael eu hollti a'u llifio ar fyrddau gyda llif gron, wedyn eu gosod ar fwrdd arall i'w plaenio.

Yr oedd yno beiriannau o'r enw Jenny Lind i gaboli'r llechi ond ychydig iawn o ddefnydd a wneid ohonynt am y gwerthid y rhan fwyaf o'r cerrig yma i'w gorffen gan gwmni Fletcher and Dixon yng Nghaernarfon, gwneuthurwyr cerrig beddau a masnachwyr llechi.

Gwaith Ifor Thomas, Llan fyddai hogi'r llifiau ar y peiriant hogi, yn y cwt a oedd yn un pen i adeilad yr olwyn ddŵr. 'Roedd y cwt bwyta yn y pen arall.

40: Cerrig yn dod i lawr yr allt o'r chwarel i'r felin.

41: Bwrdd Llifio.

Diweddglo

Llosgwyd y siop seiri, yr holl batrymau pren a'r gweithdy yn ulw ar y 12fed o Hydref, 1952, yn ddamweiniol. Symudwyd y peiriannau a gafodd eu hachub i sied gyfagos, a chyn pen pythefnos 'roedd rhai ohonynt yn gweithio.

Ond y rhai a wnaeth fwy o ddifrod na'r tân oedd y dynion sgrap! Er bod llawer o'r hen beiriannau wedi eu hachub o'r tân, nid oedd trugaredd iddynt pan gymerodd dair wythnos i saith o lorïau ugain tunnell yr un eu cario oddi yno.

'Rwyf am orffen drwy ddyfynnu o ddyddiadur Gwilym Parry:

"*Gweithwyr McAlpine yn dod ym mis Mehefin, 1964, a chreu ffordd newydd o Fryn Derwen i Bonc William Parry mewn mis o amser. Anhygoel!*

Ebrill 1965 cefais orchymyn
1. i wagio llyn Mynydd.
2. Gwagio llyn Amana a chwythu'r argae i fyny.
3. Cau y twrbîn i lawr yn Felin Isa a'i sgrapio. Cael y trydan gan 'M.A.N.W.E.B.'
4. Symud yr injis stêm i gyd o'r chwarel i lawr i'r Felin yn barod i'w llwytho i'r gwahanol brynwyr.

Gorffennaf 1965. Symud y durn o'r Felin i'r Iard Bach, Ifor Roberts ddim yn hapus iawn am hyn.

27 o Fedi 1965.
Y Felin Fawr yn cael ei chau; y dynion yn cael eu symud i'r chwarel a'r ddau dwytha oedd Richie Jones i'r efail ar Red Lion, a Gwilym Parry i'r Iard Bach, hefyd ar Red Lion."

Dyna'r Felin Fawr wedi mynd a dim gobaith i'r un prentis gael dysgu crefft yno eto!
Mae colled aruthrol i'r ardal ar ei hôl.

'Does neb yn sylweddoli gwerth na maint y golled nes mae'n rhy hwyr.

Diolchiadau

Diolchaf yn gynnes i'r rhai canlynol am eu cymorth:

Marian Arman, Bontuchaf.

Ithel Owen, Pen Rhiw.

Steffan ap Owain, Ffestiniog am lun o'r gweithdy.

Gwilym Parry, Bethesda am fenthyg lluniau, dyfynnu o'i ddyddiadur ac am fy atgoffa o rai pethau.

Dr. Dafydd Roberts, Amgueddfa Lechi Llanberis am ganiatâd i dynnu lluniau yn yr Amgueddfa Lechi.

R. H. Roberts, Bangor am wneud y map.

Ifor Williams, Coetmor.

Trefor Williams, Carneddi.

Llyfryddiaeth

Hynafiaethau Llandygai a Llanllechid. Hugh Derfel Hughes. Cyhoeddwyd yr adargraffiad hwn gan Gyhoeddiadau Mei, Bryn Mair, Dolydd, Y Groeslon, Caernarfon. 1979.

Hanes Cymru yn y Ddeunawfed Ganrif. R. T. Jenkins. Cyfres y Brifysgol a'r Werin, Rhif 1. Gwasg Prifysgol Cymru, Caerdydd. 1928.

Time and the Valley. David Hubback. Gwasg Carreg Gwalch. 1987.

Narrow Gauge Railways in North Caernarvonshire. J. I. C. Boyd. Vol. 2. The Penrhyn Quarry Railways. The Oakwood Press. 1985.

The Pennants of Penrhyn. E. H. Douglas-Pennant. Gwasg Ffrancon, Bethesda. 1982.

The Penrhyn Quarry. Over 150 years of Progress. North Wales Chronicle, Bangor. (Dim dyddiad).